진달래 대표 시인선

낯설고도 익숙한

김화숙 / 시집

진달래 출판사

김화숙

전남 해남 출생
서라벌 문예 시 등단
19회 공무원문예 대전 시 부문
(동상) 수상

<rosa6204@hanmail.net>

낯설고도 익숙한

시인의 말

알고 있는 것 같은데 무언가 낯설다.
막상 시작하면 익숙하다.
세상살이가 익숙한 것인지 낯선 것인지
분간이 가지 않는다.
자동차 바퀴처럼 굴러가야만
비로소 살아있는 것 같다.
수십 년을 궁금해 하고도
여전히 궁금하다.
그 궁금증을 해소하기 위해
배우고 듣고 생각한다.
그러면서 조금씩 궁금증을 해소해 가지만
여전히 많은 것이 궁금하고
여전히 알 수 없어서
계속해서 걸어야 할 것 같다.

차 례

시인의 말

part 1. 엉뚱한

part 2. 따뜻한

Part 3. 뜻밖에

Part 4. 그렇고 그런

Part 1

엉뚱한

4월

온통 보라 빛이다

천천히 혀를 밀어 올리며
웃는 여린 숨결들

귀를 기울이면
매달린 것이 못다 한 응어리뿐일까
내면에 가득한 함성을 끌어 모아
소리쳐도 흩어지지 않을
느낌표를 생산하고 있다

짧고 단단한 세계로
여전히 관능을 뽐내면서
실핏줄을 드러내고 웃는 부리

바람과 햇빛을 건너온 핏줄이 꿈틀거릴 때마다
있는 힘을 다하여 벽을 열어젖힌다

천천히
개안이 시작되고 있다

동행

아침부터 저녁까지 오이피클을 물고 걸었다
오십년이 지났는데도 여전히
낯선 시간들, 낯선 표정들
때때로 유령이 되기도 한다

미끄러운 것 위를 걸을 때는 앞을 보지 마세요

확인할 수 없는 비명소리가 사방에서 들렸다

오래된 교리 같은
다정하고 검증된 목소리에
나는 자꾸 절여지고 있었다

아침에는 허밍처럼 쏟아지는 뉴스와
분류할 수 없는 기억이 스며들어 왔다
아무도 귀 기울이지 않는데
마침내 줄거리가 완성되었다고
누군가 말했다

지난 시간은 사라지지 않고

계속 다시 시작하는데
우리 함께여서 행복해요, 라고 말할 때
우리는 우리가 아니다
나의 하루는
모든 거짓이 그러하듯
너무나 질서정연하고 당연했다

오류

일요일 밤이면 기차 놓쳐버린 노인처럼
거울 속을 들여다본다
화요일이나 수요일처럼 만들어지는 이야기
시간은 두 방향으로만 열려있고
시간이 멈추는 곳까지 가다보면
달리던 것들, 그 속에 섞여 있던 잔재들

목요일은
가벼운 발자국을 끌고
다른 방향에서 오고 있다
서쪽을 응시하다가
파닥이는 시간을 보았다
저녁은 침묵이라는 단어를 배우듯이
돌을 던지면서 규칙적으로 지나가고

어둠이 단지 어둠에 지나지 않듯이

네게 던진 그물을 거둬들이며
나를 뱉어내는 것

떨리는 눈 사이로
첫새벽이 오는 것을 발견하던 때처럼
내 계절은 정연하다

비밀번호를 잘못 누르셨습니다.

오류입니다.
자꾸 눈앞에서 맴도는 낭떠러지
곧 삭제될 사람들

가을비

갑자기 요절에 대해 생각한다
더 이상 갈 수 없는 길, 끝 같은 곳
마지막으로 부딪쳐 완성되는 곳
이 매듭 건너고 나면 희미해지는 경계 너머
잎들은 점점 붉어지고
요절 아니면 혼절이라도 하고 싶은
있기도 하고 없기도 한
경계 너머 없는 꿈같은 것
이 비 지나고 나면 눈이 내리듯
이 매듭 지나고 나면
단단한 황금길 만나게 되는 것일까

눈동자 따라 헤엄치는 날파리
의사는 비문이라 매듭짓고
나는 오독이라 매듭짓고
내 안을 떠도는 것들
내 안에서 싹을 키우는 것들
교환하는 눈빛이 낡아질 때까지 안녕

이 비 지나면 눈이 내리듯

내 계절 안에서

형체도 없이 자꾸만 시작하는 것들

외도

카카오페이지에서 판타지 웹툰을 찾는다
페이지를 넘기면서 한 발자국 걸어 들어간다
퇴마사에게 가는 것은 한발만 떼면 되는 것
그는 카카오페이지 안에서 약속을 남발하고
고양이털을 만지듯이 내 배를 쓸어내렸다
배는 까닭도 모르면서 꼬르륵 거렸다
오후 내내 솔직하게 대화하고 싶어서
그의 외출을 기다렸다
멈칫하는 오 분
나직한 허밍이 들릴 뿐
손등을 애무하는 것은 바람이었다
한 발만 오세요
안을 수 있어요
바로 옆에서 기다리고 있어요
아무리 외쳐도 꿈쩍도 하지 않았다
검지로 그를 계속 부르고
손바닥으로 나중에는 온 몸으로
그의 이름을 부르고 마구 흔들었다
잔기침만 들려도 몸 안의 장기가 흔들렸다
입술이 마르고 허기져서 서 있을 수조차 없었다

카카오페이지를 덮고 컴퓨터를 켰다
프리셀 게임을 시작했다

무녀가 한쪽뿐인 문을 열고 들어왔다

노크

밤새 외벽이 딱딱 노크하고 있다
창문을 열어보니 아무도 없다
무엇이 이 세계로 나오려는 것일까

왔지만 가야만 하는
그 만의 세계에서
반드시 전해야 할 무엇이 있어
다급히 불러놓고
급히 돌아서는 것일까

한 공간에 있으나 말할 수도 없고
볼 수도 없어
신호만 날리는
그는 무엇일까

내 안으로 들어오겠다고
계속해서 두드리고 있으나
두꺼운 외피를 가운데 두고
나는 두려워, 다른 걸음이 두려워
그의 외침을 단절 음으로 흘리고 있는 것일까

제 자리를 맞추려는 그 쪽

제 자리를 지키려는 이 쪽

보이지 않는 신호로 사방을 흔들고

끊이지 않는 울음으로 울림을 남겨놓고

다시 벽을 가운데 두고 두드리고 있다

새벽의 격정

공원을 산책하는데
진달래가 무리지어 탱고를 춘다

소리 없는 리듬에 잠을 깬 고양이가
턱 선을 팽팽하게 세우며 끼어든다

속살을 드러낸 내부란 저렇게 낯익은 것일까
붉은 입김들이 계절을 앞당기기 시작했을 때부터
그것들은 속삭임만으로 공기를 덥혀 왔다

얼굴을 번쩍 들고 쉴 새 없이 오르락 거리는
가쁜 숨들
은근슬쩍 눈동자를 맞추다가 새벽빛에 놀라서
제 멋대로 기울기 시작했다

꽃들이 또 다른 봄을 갈망했을까

지나가던 낯선 이를 가운데 두고
한 방향으로 주둥이를 쳐들고 소리를 품어낸다

눈빛이 풀어지는 찰나
한 겹 한 겹
조심스럽게 벌어지는 입술

막 하나의 스캔들이 개화했다

꽃들의 기울기

출근버스를 기다리던 여자가
중심을 잃고 쓰러졌다
그녀와 내 기울기가 같다는 것을 이해하자
그때부터 확률을 믿기 시작했고
단단한 무엇을 잡으면 나도 단단해질 것 같아
바닥을 고정 시킬 수 있을 것 같아
아래로 아래로 주저앉고는 했다

벚꽃 잎이 쏟아질 때
바닥은 잠시 흔들렸고
도로가 꽃잎 속을 질주하다가
이쪽을 힐끔 거린다
나무들이 도로위로 쏟아진다
마침내 벚꽃 잎은 다 날아가고
화려한 색들이 무채색으로 변해갈 때
하나로 뭉쳐가는 빛을 본다

본디 거기서 왔다가 돌아가는 것처럼

오늘은 벌써 삼일 째 비가 내리고

비였던 내 기억도 다시 떨어지고 있다

어느 봄날 하늘높이 올랐던 꽃잎을 흩어뜨리며
곤두박질하고 있는 비

세이렌의 노래

날아오르렴
어디든 데려갈게
가버린 추억을 불러다 줄게

가장 아름다운 장소를 찾아내어
아직 깨어나지 않은 신처럼
잠들게 해 줄게
신들의 잠 속에서
꿈이 되게 해줄게

아침은 밤의 서러움
열심히 쫓아 다니다 항구에 이르러
짐을 내렸어

발바닥에 달라붙은 철근을 털어내 봐
한 걸음 걸으면 두 걸음 도망치던
흰 꽃으로 가득한 밤들
손에 박힌 만장은 바둑판같지만
자꾸 흔들다 보면 어느새 연꽃으로 피어나지
아무도 함께 걷지는 않았지만

날개는 돋아나지

바다가 여운을 풀어
수직에서 수평으로 날개를 퍼덕이면
그 때가 신들이 잠드는 시간이야
거품이나 노래나 하물며 하품이라도
모두 신의 꿈속으로 스며들지
거기서 또 다른 걸음은 잉태되지

신들의 잠처럼
노래는 너의 것, 또한 나의 것
그 속으로 들어오는 모든 것
그것을 다 안고 가는 신들의 약속
비로소 바다가 보라를 날리고
더 이상 걸음을 세지 않는 거지

노래를 불러봐
오늘은 짐을 내리고 편안히 잠들 수 있을 테니

야만의 창가

절반은 졸고 나머지는 두통에 좋은 자세로
앉아 있었어
언제일지 모르는 기다림 속에
대기자로 있는 것, 시간을 넘기는 것

인디언에 관한 책을 보았어
죽음이 무더기로 창 너머에
또 하나의 창을 만들고
야만으로 분류되었지

서가에서 구색을 맞추고 있는
예언 때문에, 의리 때문에 걸었던 길
쉬고 있는 숨에 대해 변명을 늘어놓았어

아무 사이도 아닌 사람을
목숨처럼 그리워하다가
자화상에 총구를 들이대며 야만을 성토했었지
그리움은 유리창에 매달린 빗방울 같은 거라고

책장 4층에 잠들어 있던

동화만큼 유명했던 추장이 실루엣으로 다가왔어
그의 가슴을 관통했던 총알이 창밖에서 날아왔지

파편이 햇살에 부서져 도로로 흘러내리고
어젯밤 꿈이 다이아몬드처럼 반짝이며
질서정연하게 흘러갔지

유리의 변

유리창이 반사와 직사를 가를 때
시작과 시작의 간극에 서서
서로 다가가려 끊임없이 부딪치고 있었다

그 얇은 두께로 무엇을 나누려했던 것일까
빛마저도 기울어져 속살을 비트는데

1도가 낮아지면 얼굴색이 변한다고
아침체조처럼 규칙적으로 몸을 털었다

투명한 얼굴들이 하늘에 걸리고
포도처럼 매달린 주문을 본다

수억 개의 울퉁불퉁한 다른 길
이쪽과 저쪽의 경계

모든 용서의 구호가 펼쳐지는 저쪽의 틀 안
친한 친구와 엄마의 웃음소리

투명하다는 것은 쓸쓸하다

여과하여 오는 것도 쓸쓸하다

한 치의 오차도 오해를 만든다

징검춤

출근길에 징검다리 놓여 있다
한발 건너고 또 한발 건너고
중간쯤에서 느닷없는 경적 소리에 휘청거린다

단단한 돌 사이를 지나온 물줄기에
감각이 살아있는지
냉기가 발목을 타고 다니며
뼈마디에 생채기를 새긴다

돌 과 돌 사이에
무엇인가로 가득 차 있다는 것은 알았지만
물 향기와 바람만 보았다
상처와 그리움이
왼 발과 오른 발로 나누어 엇나갈 줄은 몰랐다
나누어진 두 발은 어디에서 하나가 될까
한발로 추는 춤은 언제쯤 온전해 질까

돌을 벗어난 물줄기를 바라본다
그 속에서 피라미는 헤엄치고
따라오는 사람은

제 그림자를 밟으려는 듯 기우뚱한다
그것은 춤을 닮았다

징검다리 사이로 바람의 신경이 물결쳐간다

컨베이어 시스템의 오후

네 걸음은 슬로우다 어디서든 네가 보인다

비가 많이 내리던 해
천재들이 지상으로 쏟아졌다

스무 살이 되자 취직을 했는데
신체의 설명서를 읽으며
밤마다 창가를 서성거렸다

그녀가 걷던 길
봄이면 벚꽃이 청춘처럼 흔들리고
밤이면 강에서 소식이 불어오고
그렇게 하루가 흘러가고

자고나면 또 한 사람이
육십 센티미터 날개를 달고 비행을 하고
달콤한 오렌지 향에 취해
그립다 그립다 목이 메었다

곱슬머리 동그란 입술로

눈동자를 빛내던 그녀가

벌겋게 떠오르는 태양만 봐도
나무들에게 달콤한 밀어를
속삭이던 그녀가

손끝에 직선으로 서서
모든 흐르는 것을 쫓아서
오늘도 예정된 길을 따라
걸 어 간 다

사티로스

오랫동안 가렵던 이마에서
뿔이 돋아나자
당신이 걸어 나와 당신 속으로 들어가더니
당신을 먹고 있다
가끔은 달콤하고 가끔은 오르가즘을 느낀다

어디선가 썩은 냄새가 난다
놀라서 거울을 들여다 본다
당신이 보이지 않는다 당신을 찾을 수 없다
당신은
거울에 대고 소리 지른다
뱉어줘 꺼내줘
하루가 사라질 때마다
당신은
두려워서 조금씩 숨었다
당신을 찾으려면
아직도 살아있는 청동거울을 비춰봐야 한다
깊은 거울 안에서
뿔과 뿔이 부딪치는 소리만 들릴 뿐
당신은 어디에도 없다

당신은

부를 수도 없고 형체도 분명하지 않은 무엇을

자꾸 뱉어내고 있다

어린 왕자의 변명

뻐꾸기는 시계 안을 들여다보면서
주기적으로 사라진다

집에 돌아가는 것이 규칙 때문이라면
처음에 창문을 열었던 사람은 누구일까

한 때 그가 만났던 검은 새는
순간을 날아가는 중이 아니었을까

그는 버렸던 시간들을 생각한다

길들여진 장미를 찾아 떠난 여행에서
동그라미 안을 빙빙 돌아야만 했던 순간들

뻐꾸기는
사라지는 장미 향기를 맡으면서 울어야 했지만,
눈물이란 새털에 불과하다는 것을
언제까지 설명해야 할까

항상 제 자리에 있지만
자오선을 두고 맴도는 해와 달처럼

Part 2

따뜻한

달콤한 하루

거울 속으로 얼굴을 들이밀었다
몇 그램의 무게가 하향했다

엄마 손잡고 오일장에 갔을 때 만난 낯선 사람들
그들과의 거리,
그 거리가 떠도는 거울 속
흰 빛을 삼키지 못한 거울이 반사할 때
나는 거울 속으로 들어가기 시작했다
얼마쯤 그 속에 남아 있었지만
얼굴을 들이밀 때마다 남아있던 내가
말을 걸어온다
이쪽에 있는 내게
저쪽에 있는 내가
기억을 공유하자고 조를 때도 있고
어쩔 때는 눈을 감고 외면하기도 한다
저쪽에서 자란 나는
이쪽에서 자란 나를 한쪽으로 자꾸 구겨 넣는다
몸피가 하향하고
영혼의 무게가 조금 올라갔다

노란 호박

어머니, 하고 가만히 부르면
입안에 달짝지근한 침이 고인다
오후 늦게까지 토방에 앉아 있던 모습이
가을햇살 받던 노란 호박 같았다
석양빛에 가슴 바짝 조이고
막내에게 젖을 물리며 졸던 어머니
돌담위에 자리 잡은 호박을 보며
고것 참 명당자리야 하시던 목소리가
바삭거리는 가을 햇볕에 부서질 것 같았다
마흔 너머 쉰 사이에
어머니는 호된 시간을 살았다
머릿속의 혹이 밤낮으로 자랐다
사방팔방으로 민간요법까지 찾아다니다 만난
노란 호박
정성을 쏟아야 된다며 토방위에서 나란히
가을 햇살을 받기도 했다
몸에 좋다고 기침 감기에 좋다고
삶은 호박을 내 앞으로 밀어주곤 했다

호박처럼 쑥쑥 자라

가을햇살에 단단해 지기를 원하던 마음이
석양빛을 풀어낸다
노란 호박을 볼 때마다
입안에 달짝지근한 침이 고인다

진고개 너머

'감자떡 팝니다'라는 푯말을 단 포장마차
허기진 것도 아닌데 호기심에 한 접시 주문했다
적적함이 울타리를 치는데
가까이서 쇠북종소리가 들렸다
감자떡은 아직 익지 않고
오랜만에 손님을 맞은 남자는
말을 쏟아내고 있다
허여멀쑥한 매무새는
도시에서 막 내려온 것 같은데
남자 뒤에서 초등학생 같은 여자가 걸어 나와
솥을 여닫으며 설익은 냄새를 풍긴다
남자가 연신 붙잡는 까닭은
민들레 효능 때문이다
비뇨기에 좋다고
중년을 넘긴 두 남자가 의미심장하게 웃지만
옆모습은 민들레 차 맛 같다
여자는 반쯤 집에 두고 온 아이에게 가 있고
남자는 약초를 만지며 산을 돌아다니고 있다
세련된 남자의 도시 말씨 너머로
투박한 여자의 대꾸소리가

고즈넉한 고개를 살짝 흔든다
남편은 민들레 차를 사고
나는 반짝이는 이차선 도로 건너
숲 속에 홀로 떠있는 기와집으로 눈을 돌린다
차를 다 마신 후에야 감자떡이 익었다

남자의 흰 고무신이
여자의 검정 고무신에 포개져
오랫동안 눈에 남았다

노래 소리들

여섯 살 새벽
처음 듣는 노래 소리에 깨어났다
마당은 창백하게 떨고
대나무 숲은 파도를 치고
뽕나무는 나체로 춤추고 있었다
평상에 누워 하늘을 보았다
밤인데도 모든 것이 보였다
색깔만 조금 묵직할 뿐이었다

대나무는 몸을 부딪치며 깔깔 웃었다
뽕잎은 아무도 보는 이 없는 줄 알고
발가벗은 맨 살갗을 달빛에 비추었다
나무들의 노래가 마당을 쓸고 갔다
망태에서 마실 나온 깔들이
서쪽으로 우르르 몰려갔다
감나무에 갇혀있던 구름들이
동쪽으로 자리를 옮겼다

새벽 네 시에 잠이 깨면 창문에 바짝 붙어서
하늘을 본다

둥글게 말아 올린 먼 숲의 공명
서로서로 몸을 부비며 속삭이는 소리가
도시 새벽의 내려앉은 빛을 뚫고 들려온다
나무의 노래 소리가
점점이 박힌 인공 달을 건너와
저 산에서 이 산까지 울렁거린다

새벽 네 시 산과 산이 대화를 시작한다

스팸과 시스템

그들은 새로운 시스템이야
꼭꼭 누르면 끈적거리게 돼
끈적이는 것은 마치 자존심 같아
지구상에 유일한 승자는 시스템이지
모두가 거기 속해 있어
웃으면서 말하지
한번 해보시지요?
그 한 마디에 승급에 목맨 그녀는
또 밤을 새워야 하지
그녀가 그녀에게 또 그가 그에게
자꾸 확산되다 보면
종이는 시스템을 떠받치는 기둥이 될 거야
밥을 많이 먹는 것도 아니야
김치는 아예 안 먹는다고
왜냐하면 시스템을 옮기면 공주이기 때문이지
전 스팸만 먹어요

조심해야 돼
질질 흐르는 액체에 묻으면
바로 붙어 다녀야 해

그들의 거미가 되어 액체를 제조하게 되지
시스템은 거미의 특징이야
서로 잡아먹고 토해내는
누구도 웃지 않고 나오지 않고
스크린을 보면서 스크린을 제작하면서
서로 방영하고 서로 촬영하는 거지

독백

어항 속 금붕어가 얼굴을 마주하고 있다
입술을 뻐금거리다 돌아선다
수풀을 한 바퀴 돌아 다시 눈이 마주치고
거품을 튕기다가
거울 속 한 없이 넓어 보이는 공간으로
눈동자를 깊숙이 찔러 넣는다

허공에 대고 입만 뻐끔거리던 때가 있었다
목소리는 메아리 없이 허공으로 흩어지고
사념은 흔적을 남길 수 없었다
표정 속에서 자주 거품이 태어나고
공기 속으로 사라졌다

공중을 떠다니던 구름이 내려와 옆을 스쳐간다
허공에 묻어 있는 부드러운 수분이
금붕어와 수풀의 속삭임 같아
귀를 묶는다

주목나무들이 밤잠을 청하는 놀이터에서
동그란 그네에 누워

허공에 퍼지는 소리를 듣는다
허공 속에서 누군가와 얼굴을 맞대면 한다
떠돌던 이야기들이 나란히 눕는다

모든 별들이 뻐끔거리는 금붕어처럼
총총 내려오고 있다

윤곽

툇마루에 앉은 여자가
자꾸만 흐려지는 눈을 비비고 있다
그녀는 두루뭉술한 돌담너머로
희미한 기억을 보태거나 덜어내면서
마루를 쓰다듬는다
마루의 나뭇결이 희미하다
그녀는 어디를 돌아 왔기에
마루의 결처럼 허물어져 가는가

징용트럭에 끌려가던 막내 동생의 텅 빈 눈빛
긴 여름, 장작개비 타듯 총소리 흩어지고
개울위에 엎어져 있더라는 소문 잠깐
바람 속에 섞여오는 열여섯 동생의 목소리
목구멍에서 피멍든 외침,
기억 속으로 보낼 수 없었던 그날이
하루도 빠짐없이 소용돌이 쳤지만
오래된 가문의 소품처럼 퇴색하고 있다

돌담너머에서 부는 바람은
끊임없이 왔다가고 막내는 어디에도 없다

그녀의 기억 속에만
잔물결로 남아 일렁이고 있다

용마루는 맑은 오월을 배경삼아 선명하다
돌담위의 붉은 장미는
감나무 이파리 사이에서 선명한
꿈을 꾸고 있다
그것은 또 언제 윤곽의 경계를 넘을 것인가

수덕사에서

마루에 나무 기둥처럼 앉아있던 여자가
회색빛을 털며 일어섰다
그녀는 타다만 향 같다

사내를 따라 집나오던 새벽에
소리에 붙잡힐까봐 옆도 보지 않고 걸었다
환청처럼 들리는 아들의 목소리
미친년이라며 부라리던 엄마의 목소리
눈동자만 마주쳐도 가슴이 덜컥 내려앉던 사내는
삼년을 못 살고 가슴에 묻혔다

살갗이 타던 여름이 수십 번 지나고 나자
여자는 흘러가는 개울에
그림자를 비출 수 있었다

수학여행 온 학생들이 경내를 돌다 가면
눈동자 몇, 여자의 시선에 따라
밤낮으로 돌탑을 돌았다

닳아 부드러운 대웅전에 바짝 엎드리면

이마도 손바닥도 마루처럼 편편해 지고
돌탑처럼 층층이 자리 잡은 억장도 편편해졌다

아들 목소리에 한 묶음으로 묶인 목소리들이
저녁 공양 알리는 종소리처럼 흘러간다

여자는 단단한 표정을 풀고
오후 네 시,
서산 같은 하루를 회색빛에 구겨 넣는다

소년과 할머니

차창 밖을 응시하는 늙은 여인의 눈에는
소년이 한 번도 본적이 없는 너울이 흘러간다
끄집어 낼 수 없는 시간이 깊숙이 들어앉아
바다 건너 온 하루방처럼 등이 굽어가고 있다

뚜렷하지 않는 것은 모든 것이 섞여 있어서일까
눈 안으로 소년이 잠시 들어왔다 가고
머리 길게 땋은 열여덟 소녀도 왔다가고
색동저고리 입고 전 부치던 모습도 잠시
돈 벌러 간 며느리 대신해 밤낮으로 우유 흔들던
순간도 잠시
그녀의 손끝으로 덤덤한 기운이 흘러나온다

머물러 있으면 정체를 들키기 때문일까
계속해서 변신하는 흐릿한 그림자가
자꾸 지나간다

그녀는 어디선가 고요한 음률을 찾아냈다
소년의 가는 길이 그녀의 눈 속으로 들어온다
생각이 하나하나 덜어진다

남은 것이 몇 개, 소년이 가는 길과 도로의 끝
거기 이르면 그녀는 긴 기도를 할 것이다

음률이 도로를 질러가는 바람소리를 닮았다
소년의 머리를 더듬어 보지만
소년은 그녀의 밖에 있다

창밖 허공에 잠시 떠있다
생각 속으로 주저앉은 것은 그녀가 아닐까
생각이 다 닳았을 즈음
하루를 가로 질렀던 자동차는
신병 훈련소를 떠났다

시간이 밖으로 와 잠시 멈추었다

막차

붓다가 엘리스의 가면을 쓰고
멈추지 않는 춤을 추는 곳
불가능이 신비의 옷을 입고
고독한 향을 피우는 곳
넘어지고 엎어질 때 아이들이 미리 와 있어
동자승 같은 까까머리를 내미는 곳
미확인 물체는 언제든 괴의치 않고
눈빛 가득한 공간으로 초대했었다

시간에 취해서 기꺼이 달리다가
춤사위 몇 개에 영혼을 입혔다고 낄낄 거리다가
언제나 마지막은 집을 향해
헌신과 수고를 차비로 제공하고
마지막 차를 타고 졸면서 간다

공중에서 들려온 '다음은 우체국 앞입니다'
깜짝 놀라
부칠 우편을 더듬거리다가
아직 보내지 못한 마음 몇 개
머릿속을 떠나 다시 눈두덩으로,

눈두덩은 서서히 내려앉고
유리창 너머는 눈곱재기 창문으로만
볼 수 있는 곳

포르말린 냄새 섞인 비속으로
젊은 여자 또는 남자가 비틀거리며 사라지고
형광 빛이 졸고 있는 회색 공간,

다시 돌아온 곳으로
지금 또 누가 온몸을 들이밀고 있는가

사전

초등학교 졸업할 때 상으로 받은 붉은 사전
시간에 따라 단단한 어둠이 새겨졌다
낯설어서 톡톡 두드리자
검은 모자를 쓴 마술사가 나타나
내기를 걸었다
그의 언어로 그가 살 수 있는 세계를 만들면
마술 모자를 내게 주기로 했고
맞추지 못하면 맨발로 십리를 걷기로 했다
낱말을 꺼내 이리저리 조합하고
머릿속에다 성을 쌓기도 하고
어깨가 아프도록 두들겨도 보았지만
어둠은 더 단단해 지고
우주를 구경하듯 몸 안을 떠돌았다

단어들 속에서 춤추다 잠이 들었는데
전쟁이 한참인 전생으로 가서
총알처럼 날아오는 자모에 맞아 쓰러졌다
갈증이 나서 말고기 같은 질긴 것을 씹었는데
어둠은 찢기고 씹혀 조각이 났다

마술의 혀,

가나다가 사라져

실어증에 걸린 것처럼 단어 맞추기를

연습해야 했다

맨발로 논둑을 걷는다

어쩔 때는 한 없이 부드러운 붉은 흙이 있고

포근하게 몸을 흔드는

종이가 조각조각 찢기기도 하는

혼자서 애돌아 가는 황토 십리길

어머니의 가을

어머니는 사십년 지낸 제사 접고
며느리가 당신처럼 종종걸음 치는 걸
보고 싶지 않다며
예배당에 가셨다
기억에서 칠십년을 지워버렸는지
아침마다 저녁마다 두 손 모으고
아들과 며느리, 손자를 위해 기도한다

그동안 다녔던 절은
산 속 깊숙이 앉아 어머니를 손짓했지만
너무 띄엄띄엄 불렀다
나이만큼이나 깊어진 상념을 풀어내기도 전에
다른 염려가 생겼었다

이제 일주일에도 몇 번씩
하루에도 몇 번씩
두 손을 모으고 상념을 올려 보낼 수 있어
편안하시다고 한다

팔십이 넘은 어머니는

잠이 분산하는 새벽 거울 앞에서

새순처럼 접혀진 마음 꺼내기도 하지만

당신의 할 일을 다 했다고 안도의 숨을 쉬신다

해피트리

화분에 담긴 해피트리를 본다
굵은 가지는 잘리고 그 옆구리에서
가늘게 삐져나온 줄기에 이파리가 무성하다

종이컵에 담겨 있던 날이 엊그제 같은데
터전을 몇 번째 옮기고 나서
오늘은 햇빛 받아 잎을 뽐내고 있다

작은 마디가 붉어져 나온 곳에
껍질을 뚫고 나온 흔적이 역력하다
위로 솟구치는 욕망을 누르기 위해
스스로 그물을 만들었나 보다

누르려 할수록
밖으로 뻗어나가고 싶어
눈빛마저도 빛으로 계산하는
기억속의 길에는 줄기가 많다

자라지 마라
가훈처럼 걸어 놓았다

작아서 아름답다
마음을 담아 속삭였다

그럼에도 날마다 화분을 넘어
솟아오르려 몸부림치는 뭉툭한 나무줄기

전을 부치며

삼십년 다닌 직장에서 한 달 휴가를 받았다

낯익은 공간에 낯설게 다가온 시간을 붙잡고
감자전을 부치며
지나간 농담을 주고 받는다
마음속에 나이테를 만드는 중이다

머무르지 않는 것들에게
머무르지 못하는 것들에게
켜켜이 쌓인 궁금증을 던져본다

잘게 부셔진 가루는 물기를 머금고
울퉁불퉁 멍울을 만들다가
불 위에서 단단하게 뭉쳐진다

하얗게 태어나서 노랗게 익어가는 것이
뜨거움 안에서 서서히 단단해지는 것이
열판위에서 널뛰기하던 삼십년 같다

어디쯤에서 알맞게 노릇해질 것인가

시간을 재다 보면
지나간 날들을 잡을 수 있을 것처럼
시간의 가르마를 합치기라도 할 것처럼
끊임없이 궁금증을 부치지만
감자전은 노랗게 웃고 있을 뿐이다

노고단 해질 무렵

붉은 구름이 길게 사다리를 펼쳐놓아 하늘로 가는 직행열차 같았다 오를수록 안개는 내려앉고 반뼘 남은 나무사이로 구름이 풀어졌다

척후병처럼 조여 오는 호기심의 입자, 발을 디딜 때마다 시선이 뭉텅, 잘려 나갔다 무릎이 잠기고 허벅지가 잠기고 눈만 촉촉하게 젖어 잠식하는 안개를 지켜보았다 플래시 안에서 어둠이 분석됐다 그것들은 날아오르고 있었다

갑자기 소리가 튀어 나왔다 육십년 전에 죽은 군인이 툭툭 걸어 다니고 여자가 웃음소리를 흘렸다 청년들이 리듬도 없이 춤추고 있었다 그들이 쉬지 않고 쏟아내는 입김으로 블랙홀이 커져갔다

발끝에서 해골 부딪치는 소리가 났다 급히 한기가 몸을 분석했다 안개로 변신한 청년들이 블랙홀을 돌아다니고 있었다 그들의 발자국 소리에 공간이 조금씩 부서졌다

플래시 빛마저 갇혀갈 즈음 청년들의 노래 소리가 인광의 공간을 펼쳤다 하얀 깃발에서 태어난 라면냄새가 단단한 균형에 금을 그었다 블랙홀이 삼켰던 노고단 대피소를 뱉어냈다

Part 3

뜻밖에

매혹

익명으로 구석에 앉아 하모니에 중독되었다 거미
가 줄을 풀고 허공을 날아다닌다 거미줄에 감염되
어 편안하다 교묘하다 같은 것 같은데도 같지 않은
방향이 살짝 다른 세계, 계단으로 세워진 화음이라
니

박수갈채는 공중에서 터지고 야한 화장은 공주처
럼 우아하다 거울 안에서 이집트 여왕이 화려하게
웃는다 신전 앞에서 씨익 웃는 제사장처럼 고귀하
다 아무도 가지 않는, 살갗이 찢어지고 피가 터지
는 태고의 길을 걷다가 방독면을 썼다

바닥에 설 때는 언제나 눈을 감는다 피부에 물방
울처럼 와 닿는 사방에서 들려오는 소식들, 파도처
럼 출렁인다 보이는 모든 것은 날개를 달고 날아오
를 준비를 한다

안개 낀 날처럼 멍 때린다 영혼 따로 육체 따로
여행 보내고 각자 다른 인연 만나 사연을 쌓는다
기다림은 이제 그만 거울조각을 맞추고 있다 꿈속
으로 들어온 퍼즐의 세계 퍼즐이 날아와 내 몸을
묶는다 편안하다

그림자

나뭇가지에 매달린 앙상한 흉터를 보고 있다
다가갈수록 그것은 분명해 진다
엉거주춤한 것은 그것이 은밀하기 때문이다
불쑥 고개 내밀어 속한 세계를 떨게 하고
털어내지도 감싸 안지도 못하는 외양

한 몸 안에서 서로 다른 방향으로 걸어가는
고집 센 힘을 보고 있으면
더 이상 내일을 꿈꾸지 않는 이유가 앙큼하다
어느 하늘아래 둥지를 틀었다가
순간순간 돌아오는 것일까
흔적도 없이 사라졌다가
수없이 재생하는 부활의 능력
그것은 어떤 날을 위한 준비일까
비밀스럽게 행동하지만
전혀 신비하지 않다
한 곳만을 향한 고집으로
그녀의 세계가 타들어 갈 뿐

나무는 말라가고

빛의 세계를 훔치지만 다른 쪽으로 뻗어가느라
한 순간의 낙도 없다

온전히 자기세계만을 탐험하는
빛과 함께 존재하지만 빛이 아닌 그것은
그녀의 일부지만 그녀가 아니다

일그러진 상흔만 남기고 공멸할 뿐

가을이 오는 방식

어떤 울음은
끝내 자기 내력을 알 수 없다
언젠가 날아가 버린 단정한 나비
지상에 마지막 남은 신의 독촉 같은
눈빛과 목소리, 눈물들
바람으로 채워진 방식 같은

어떤 향기는
지난 시절을 밤 새 그리워한다
탄생과 죽음이 한 밤에 다 들어간 그들만의 방식

눈물이 말라가는 언덕 언저리에서
노란 꽃 한 송이 흔들리고 있다
고양이가 무리지어 바람을 만들고
나무들이 지구를 한 바퀴 돌아오는 때
울음이 조금씩 움츠려들고

마음과 마음이 마지막 남은 입김을 쏟아 놓는다
모든 것을 안았던 당신이
무게 없는 울음 울며 허공을 걷어내면

입김들이 흘러 깊은 강을 만들고
그 강 위를 따라갔던 기억

오늘은 보편으로 흘러간다
나는 마지막 문자를 당신에게 띄운다
나도 울음이었다고

동전의 연대기

혜화역을 지나다가 십 원짜리 동전의 연대기를
보았다
1970, 1973, 1974……,
THE BANK OF KOREA
동전은 녹이 슬거나
빛을 간직한 채
드라마의 장르처럼 시대를 장식하고 있었다
십 원의 생애를 보면서 내 마음도
잠시 열 몇 살로 갔다
차가운 개울물에 스웨터를 빨면서
계속 반복되는 겨울바람에서 벗어나기를 빌며
유명한 산사 연못에 던졌던 동전

십 원짜리에 묻어 있는 고딕양식 같은 마음이
얇아지고 갈라져 훨훨 날아다니다가
도시 한 가운데
층층이 쌓인 창문에서 아침을 맞는다

고집스럽던 70년대의 열정
소박하고 단출하던 그 시절의 꿈이

혜화역을 나와 대학로를 걸어갈 때
멈칫하는 내 등을 떠밀었다
뒤 꼭지를 콕콕 치며
언제까지나 갈 수밖에 없는 길이라고
보도블록 안에서 반짝이는 점토처럼
동전의 연대기는 속삭이고 있었다

신종 우체통

그녀는 편지를 써서 붉은 상자에 넣었다
십년동안 보관했다가 되돌려 주는 우체통이다
이루고 싶은 소원과 바람을 꼼꼼히 적으며
십년 후에 대한 기대로 가슴이 부푼다
붉은 무늬가 기적을 만든다고 한다
지정한 날짜에 편지를 받으면
써 넣은 대로 변해 있다는 것이다
무늬는 마술을 부리고
보이지 않는 리모컨으로
메시지를 보내는 것이 틀림없다
세로 일 미터 가로 삼십 센티 속에서
무슨 일이 일어나는 것일까
변해 있을 십년을 상상한다

붉은 상자 앞을 지나는 사람이면
누구나 한번쯤 통 안을 기웃거린다

몇 명은 그녀처럼 편지를 집어넣는다
뭔가 아득한 기대가 아스라하니 가슴에 남아
설렘 속에서 십년을 산다

십년이 지나면
그녀의 소원은 바람처럼 그녀에게 배달될 것이다
소원 중에 몇 가지나 이루어졌을까

붉은 무늬상자위로
봄에서 가을까지 수많은 바람이 지나가고
그녀는 편지를 까맣게 잊었다

편지의 마술사는 그녀에게
망각의 기적을 베풀었다

재활용

할일 없으면 술이나 마시면 된다던
아무짝에도 쓸모없어서
헌 신짝처럼 길가에 버려진 사내
술병의 재생을 부러워한다
마지막처럼
처음처럼
술병은 별빛 속으로 흘러가고
사내는 술병 속으로 숨어들고
어느덧 냄새 자욱한 마개가 된다

재활용 처리장이 공중에 떠있다
아무도 공중에 떠있는 처리장을
땅으로 내려놓지 않는다
홀로 떠돌다가 주저앉은 귀퉁이
거기 미리 사내가 와 있다

청소부는 사내와 쓰레기를 쓸어내고
쓸어도 쓸어도
사내와 쓰레기는 넘치고

별빛을 돌아온 바람이 사내를 스쳐간다
술병은 부피를 키우고
사내는 오늘도 재생을 꿈꾸고 있다

울렁거리다

땅 끝에 넋을 빼앗기고 앉아
지상의 마지막 숨결처럼 솟는
폭포의 알갱이를 보고 있었네
떨어지는 폭포의 질긴 꿈이
공중으로 솟구쳐
물의궁전을 만들고
그 나라에서 땅 끝으로 파견된
동백 잎사귀에 얹힌 찬란한 물방울 몇,
서로 밀어내고 서로 당기며 울렁거린다
몇 개의 투명한 물방울이
전 생애인양 전력을 다하여 흔들리고
언제부턴가 온갖 힘을 다하여 매달리는 것이
모든 것을 걸어야
홀로 설 수 있는 것을 말하는 듯
춤추기를 멈추지 않는다
바다는 둥글고픈 속성으로 계속 풀무질을 하고
밭은 숨결을 풀어 놓는다
가쁜 숨은 계속 일어나고
거침없이 밀려와 땅 끝을 부신다
땅 끝이 울렁인다

동백 이파리 위에서 물방울이

두 개가 되고 몇 개가 되고 다시 하나가 된다

온 힘을 다하여 하나로 서면

그 안으로 바다가 들어온다

붉은 태양도 잠시

물방울은 황홀한 꿈 울렁이며 공기 속을 난다

계단으로

새벽은 신문을 던져놓고 비상구로 사라졌다
그녀는 마지막 잠을 떨구고
깨알 같은 꿈이 신문 위에서
한바탕 날아 오른 후
일제히 비상구로 사라진다

눈을 부비던 그녀는
신문 한 귀퉁이에 잠을 구겨 넣고
빽빽한 일상 속으로 떠난다
언제부턴가 신문에서
더 이상 비상구를 찾을 수가 없다
그녀는 사라진 비상구를 날마다 꿈꾼다
동남아로, 유럽으로, 레무리아, 아틀란티스로
꿈속에서 사라진 대륙에 닿으면
새로운 삶이 시작된다
아틀란티스 부족이 되어
바다 위를 날아다니기도 하고
중세 시절 유럽 한 귀퉁이에서 종교를 피해
끝에서 끝까지 도망 다니기도 한다
여기저기 뛰어다니다가 꿈꾸던 글자 속에서

깨고 나면 오늘 하루는 화창한 날이다

유리창 너머 자동차는 포효하고
미세먼지가 햇살에 나비처럼 가라앉는다
별이 떨어지는 분수대 너머로
아이들이 떼 지어 달려가고
요구르트 아줌마가 수레를 끄는 오전을
유유자적한다
성급한 바람이 가을을 앞당기고
그녀는 비문증의 한 가운데 있다

편의점 24시

그녀는 마네킹처럼 유리창에 진열된다

마지막 버스가 떠나자

형광등 불빛이 유난히 빛나는 순간,

열한 시에 구석에서 컵라면 먹던 남자가

열두 시에 급히 와서 생리대를 챙겨 갔다

그의 다급한 발소리 너머

고양이가 밤하늘을 홀리고 있다

창 쪽에 두 개 남은 사발면

붉은 눈의 노인은 올 때마다 같은 면을 선택한다

허겁지겁 건더기만 쑤셔 넣고

소주는 따로 붓는다

그는 마트에서 세끼를 산다

거울 속에 인스턴트 그림이 부유한다

계산기 앞에 서 있는 그녀도 인스턴트식품이다

하루와 하루가 물려있는 시간은

마법에 걸려 영원으로 간다

하루가 어떻게 끝나는지 몰랐던 날들

하루가 어떻게 시작되는지 몰랐던 날들은

기억 속에서 걸어 나와 유리창을 서성이고

시간을 세고 있는 그녀는

눈동자가 뿌옇게 닳고 있다
생활이 품목으로 떠 있는 공간에서
그녀의 시간이 박제되고 있다

정거장이 깨어 날 때까지 한 세기가 왔다간다

잠의 경계

소파에 가로로 누워 드라마를 보고 있던 남자가
찰나 순간이동 했다
졸음과 깨어있음의 경계는
직선으로 그어진 가느다란 선 같다
잠깐 건넜는데 나비가 되어 나른하게 날고 있다
번뜩 깨어보니 여자와 남자가 싸우고 있다
이름 붙일 수 있는 죄, 없는 죄 다 늘어놓았는데
깊고 깊은 직선을 몇 번 넘나드는 순간
모든 행적은 끝이 났다
그 직선이 미묘하다
여자가 되기도 하고 남자가 되기도 하고
하물며 날기도 하니
그 경계에 있으면
남자도 여자도 나비도 아닌
산 것도 죽은 것도 아닌 흘러가는 의식이 된다
달콤한 그리움이 선위로 살짝 건너오는 순간
재빨리 낚아채어 간직하고 싶지만
그 선은 너무나 가늘어 무엇도 멈추지 못한다
달콤함에 잠깐 빠졌다가
낯익거나 뜻밖의 세계를 만난다

온 힘을 다해 도망치다가, 울며불며 매달리다가
살짝 넘어오면
쏟았던 에너지에 웃음이 난다
한번 벗어나면 다시는 갈 수 없는
시간의 이 쪽 저 쪽
깊고 깊은 직선

익숙하고도 낯선

새벽에 쌀을 씻을 때면
잠이 반 음 쯤 남아있다
부연 껍질을 벗어내는 쌀을 보면서
느닷없이 오래전에 사라졌던 감정이 꿈틀대고,
애써 몰아낸 쓸쓸한 느낌이 솟구친다
명치끝을 치고 간 불편한 호흡이 상기되어
손끝에 힘이 들어간다
손을 털고 돌아서면
말끔히 사라지는 이 감정은 왜?
새벽에 싱크대 앞에 설 때마다 나타나는 것일까
깊숙이 가라앉아 있다가 봉인에서 풀린 것처럼
불쑥 나를 지배하는 순간이
나인지, 돌아서면
상쾌하고 명랑한 새벽이 나인지 알 수가 없다
가느다란 막이 중간에 있어
잠깐씩 왔다 갔다 하는 것일까
한 걸음 더 걸어가면 다른 곳으로 가는
골목이 즐비한 도로를 걷는 것 같다
밤과 낮을 정확히 구분하는 시점이 있듯이
마음에도 가르마가 있는 것이 아닐까

한 쪽을 도둑맞았다가 다시 찾는,
반음을 잠 속에 두고 온 새벽은
감정이 길을 찾고 있는 것 같다

새의 죽음

이른 아침, 베란다에 새 한 마리가 죽어있다
유리창에 반사되는 구름 속으로
머리를 들이밀었다가
아무리 밀어도 들어가지 못하고
밤새 모조구름에 탁탁 부딪치다가,
음률이 새털처럼 흘러 다니는,
한 번도 가본 적이 없는 곳으로 날아갔다

나도 길을 걷다가 헤맨 적이 있다
낯익은 실루엣을 찾아
유리창에 머리를 들이밀었다가
구름이 새털처럼 부피 키우는 도시에서
꽃들의 호객을 접한 적이 있다
낯선 노래는 거리를 가로질러 헤매 다녔다

궁금한 노래가 있어 끝내 포기할 수 없던 길
창백한 눈동자를 하고
궁금증을 찾아 헤매던 날들
머리위에서
미세먼지가 소나기처럼 쏟아지고

눈을 뜨지 못해 윤곽만 보였다

죽는 순간에 새는 무엇을 보았을까
표정은 없고 몸짓만 남아있는
창 너머 커다란 그림들을 보고
그림 뒤에 숨은 다른 세계를 찾으려 했을까
다르게 숨 쉬는 몸짓의 이야기를 듣고 싶었을까

보이는 모든 것 뒤에는 새가 있다

새들은 죽은 다음에 숨어서
다른 하늘로 날아간다
입가에 좁쌀만 한 거품으로 남아있는 흔적에게
새가 날아간 곳을 묻고 싶다

밤에서 새벽까지
건너는 순간,
날아가는 모든 것의 방향을 알고 싶다

졸음의 미학

날마다 조금씩 지워지는 기억처럼
공중 부양하는 아지랑이처럼
내 몸은 가늘게 풀어지고 있었지

조금만 밀려도 제 자리를 지키려
문득문득 낯설어지는 순간들

수많은 자투리를 이어서 만든 하루처럼
때때로 시간은 바다처럼 풀어지므로
한 순간도 굴곡은 없었지

봄비, 고양이처럼 내리면
양산을 쓰고 개울가를 걷고 싶어
발을 스치는 연 녹색 풀잎처럼

불규칙한 빗소리가
기억퍼즐을 맞추고 있어

떨어지는 도화 빛줄기
언제쯤 영롱한 조각 속으로 들어 갈 수 있으려나

빗소리를 구별해 보게
음결을 구별해 보게

가늘어지는 음파 헤엄치는 소리

잠깐씩 홀리는 푸른 빛 소리
새벽마다 기도하는 내 분신처럼
어느새 물결을 타고 흐르고 있지

업로드 되는 밤

기다려 주세요 업로드 하는 중이에요
처음부터 다시,
고장 난 파일은 우주에 떠있는 것 같아
겨우내 찐 옆구리를 눌러대다가
밤 아홉시도 되기 전 졸리는 시스템은 고장일까?
깨어져도 돌아가는
시스템은 항상 어딘가는 고장이지만
사라지는 것은 시스템의 특권,
잠시 기다려 주십시오.
그리고 몇 분, 몇 십분, 몇 시간
잠에서 깨어나 파워를 누르면
허공 속에 검은 동공이 동동 떠다니고
항상 파워로 여린 육체를 치유하고
화면을 볼 때마다 묻는다
대답은 늘 재점검 중

눈동자들은 살고 싶어 안간힘을 쓰고
그 안에 있으면 이곳의 온도를 알 필요 없어
영어로만 나타나는 것은 부당한 시스템이야
부당하게 부풀어 오른 내 옆구리처럼

알 수 없다고 눈을 감으면

바로 고요한 어둠에 빠지고

눈을 뜨면 기호로 카운트 하는 흑백 시스템

검은 공간에서 천년을 업로드 하는

한가한 밤

내게는 극이 있다

　나는 기어가고 있었어요 아무도 없는 길을, 바닥은 질고 그만 두고 싶었어요 당신을 초대하면 어느 일부, 어쩌면 전부가 닿아, 빙산의 한 면 같은, 그것이 전부, 당신과 나 사이 가득히 무엇을 채워야 할까요

　지상에서는 한 번도 본 적 없는, 없는 길 같은, 당신의 모든 것, 그것이 전부일까요 블랙홀 같은 거대한 공간을 가진 당신의 가슴 속에 잠겨 들고 싶어요 그 곳은 어디서 이어지고 있을까요 지구의 끝, 아니 처음일까요, 시초일까요

　나는 늘 중심으로 파고들고 싶었어요 얼굴을 보여줄 수 있을까요 무엇이든 당신이라고 말해 줄 수 있을까요 어쩌면 당신에게 뿌리내린 시린 꽃 한 송이로도 증명이 될 테니까요

　공 굴리고 싶어요 물을 접시에 담아 모래위에 흘리고 싶어요 그래도 된다면 그래도 된다면

Part 4

그렇고 그런

고양이는 왜 혼자 맴돌까

그에게 가는 것은 언제나 맹목적이다
가장 무기력한 순간에 그가 떠올랐다
그래서 가장 먼저,
가장 자주 그는 내 주변에 있다
단계적으로 하자
'총명한'이라고 하면 글자를 조립한다
'괜찮은'이라고 하면 생활을 계산한다
그 나머지는 늘 그에게 있다
반쯤 허물어져 가는,
허물어진 내가 흐느적대며 그를 볼 때
눈빛은 사라지고 소리만 남는다
그에게 탄원하거나 웃음을 보내거나
어떤 것을 제자리로 보낼 때
사람의 속성을 알 것도 같았다
무기력에 방탄조끼를 껴입으면
단단하게 방어벽이 펼쳐졌다
그 안으로 들어가면 모든 것은 조화로왔다
순조롭게 내 안에 안개가 펼쳐졌다
왜 나는
혼자서 맴 도는 것일까
오후의 미지근한 햇볕 속을

날마다 태어난다

얼마쯤은 과거를 달고 오지만
나는 날마다 새로 태어난다
미명의 중간쯤에서
그 날 태어날 나를 결정할 때도 있다

한 움큼의 그리움이나
갈증, 궁금증을 가져오기도 하고
그러면 새벽은 웅크리며 일생을 열지만
잘 개이고 상큼한 열기 몇 가닥
가져올 때도 있다

기억은 태어날 때마다 닳아
희미한 경계를 떼어내고 알몸만 남으면
그것이 나라고 할 수 있을까
꿈속이거나 행군중인 나의
겹쳐진 모습을
한 커플 벗겨낼 수도 있을 것인가

이미 태어난 내가 계속해서 덧 씌워 지거나
벗겨지는 것인데

계속해서 껍질을 벗다 보면
탄탄한 알맹이를 찾을 수 있을 것인가
공기에 부패하고 있는 나를 꺼낼 수 있을 것인가

그 안에 웅크린 것은 정말 나일까
어디쯤에서 나는 탄생을 멈추는 것일까

냉정한 표정

정오의 사막을 막 건너왔을 때
보름달이 유리창 너머에서 말을 걸어올 때
암컷 사마귀가 막 교미를 끝내고
수컷을 바라볼 때
그때도
나는 어쩔 수 없이 유물론을 읽었어

똑바로 걸어가던 신작로의 중간에서
갑자기 돌아보고
미쳐야만 살아있는 거지
꿈틀거리며 걸어가는 것들

한 번도 달리지 않았던 그가
이제야 출발선에 서서 나를 바라보았어
왜 그날 밤 폭풍은 사정없이 몰아쳤던 것일까
꽃들과 여우들의 함성 때문이야
삼월의 햇빛처럼 기억을 조율 당했기 때문이야

안 돼 라고 누가 먼저 말했을까
처음부터 당신의 것이 아니었다고

가버린 신에게
또는 잠들어 있는 신에게

그들은 죽었어
흰 사원이 부서지고 있어
그 위로 다른 사원이 세워지고
난 이제 막 그 곳으로 유배 가는 중이야

사원에서 쏟아져 나온 흰 넥타이가 소리 질렀어

횡단보도

커피 전문점 이층에 앉아
아들은 핸드폰을 두드리고
나는 감정사용 설명서를 읽는다
유리창 밖 도로가 배다리처럼 출렁거린다
책 페이지를 돌아다니는 내 눈동자와
스마트 폰 위를 날아다니는 아들의 손
서로 자기만의 세계를 키우고 있다

내 속에서 헤엄치는 글자와
아들의 꿈에서 헤엄치는 문자 사이
오고갈 수 있는 길이 있을까

문이 열리면 눈동자와 손이 동시에 멎고
오랫동안 기다리는 무엇이 있는 것처럼
눈빛을 교환한다
그 사이에서 얼룩무늬가 출렁인다

보도위로 뛰어오른 붕어처럼
20세기 초에 쏟아진 여자들의 청원처럼
생경한 표정이 한 낮의 영화관처럼 흐르고

고요가 가라앉아 마주보는 거리(距離), 거리
냉커피 컵에 흐르는 물기처럼 촉촉이
얽혀드는 길

휘청거리다 반복하여 가지런해지고 있다

가령

시의 가정법은 푸성귀보다 맛있다
온다고 하면 정말 오는 것일까

밤마다 침대에 향기를 품어내고
시는 새벽마다 어디를 돌아오는 것일까

시릴 때만 고양이처럼 다가온다면
언제까지 엉거주춤 일까
후회할 무엇도 없기를
모든 날이 마지막인 것처럼 날을 세우며

언제든지 쏟아내고 나면
법처럼 분명하다고 믿었다
법이 더 애매모호하다는 것을 아는 것이
연륜인지
세월이 문명처럼 칙칙하게 눌러 앉는다

가령, 내가 먼저 쏟아 내면
리더가 되는 것일까
규칙을 내세우면 왜 그것은 아플까

그냥 같이 있고 싶었다

모든 것에서 가령, ……

산을 내려오며

아침 여덟시
관악산 중턱이다
숙자와 바위에 앉아 막걸리를 마신다
바위는 갱년기에 튀어나온 뼈 같다
동그랗게 말아 올린 주걱턱에 막걸리를 뿌렸다
숙자의 눈동자가 산 너머를 돌아다닌다
외국으로 출장 간 남편과
일 년째 통화만 하고 있다고 한다

도시가 기지개를 켜는데
오늘 해야 할 일을 생각하며 산을 내려온다
이어폰 속에서 흘러간 음절이 몸무게를 덜어낸다
음절 몇 개가 무릎 속으로 스며들었는지
바위를 스칠 때마다 박자를 토한다

옆으로 마른 사내가 빠르게 스쳐간다
설익은 아침이 사내를 따라간다
그의 급한 걸음 사이로 시간이 사라지고 있다
그는 이파리 속으로 사라졌다
이파리가 그의 양분을 빨아들였을까

산은 계절을 바꾸고 숙자와 나는 시간을 바꿨다
이파리가 커지고 열매가 열린다
바위가 낡은 숨을 토해낸다
지친 숨결들 하나 둘
뼈를 더듬으며 도시로 내려온다

움집 앞에서

하늘과 땅이 맞닿은 집이 있다
갈대로 서까래를 엮고 그 위에
지푸라기를 얹었다
바람이 지푸라기 사이에서
잃어버린 표음문자를 재생해 낸다
붉은 황토는 수천 년을 건너와
떠난 적이 없는 발자국을 기억하며
익숙한 바람소리를 듣는다
돌도끼 세 개 빗살무늬 토기 다섯 개
구멍이 숭숭 뚫린 바닥에
뼈 조각이 나란히 놓여있다
지푸라기와 다진 흙으로
세월을 막아내던 사람들이
집안을 걸어 다니며
이야기를 시렁위에 걸어 놓는다
그 이야기가 허공을 가로질러 와
내 발걸음을 잡는다
한번쯤은 내가 걸었을지도 모를 황토길
그들의 이야기가 내 이야기에 덧씌워 지고
내 이야기가 그들의 이야기에 덧씌워 진다

수천 년의 바람과 시간이
손가락 사이로 흘러간다

아이스크림의 효능

유리창 안에 앉아 아이스크림을 먹고 있다
입안 흔드는 달콤함이
하루를 압축하고 있다

햇볕의 정체는 날카로움이다
도로위에 시간을 붙잡아 놓고
팔월을 조금씩 흔든다
일 년과 십년이 동시에 흘러가고
한 세계가 나타났다가 사라진다

혓바닥 위에서 춤추는 인형처럼
나는 온도에 맞춰 색깔을 바꾸고 있었을까
창밖에 쏟아지는 햇살은 아랑곳하지 않고
그들만의 행진을 이어간다
딱딱한 입자가 사방으로 풀어지는 아스팔트
백만분의 일쯤 긴장을 풀고
구름과 안개의 가장자리로 스며들었던 기억

햇빛에 아이스크림을 넣어 신화를 만들었다
여행자들이 잠시 푸른 꿈 가꿀 수 있게

환상 갤러리

한 방향으로만 사는 곳이 있다
길도 규칙도 없이 상상 속에 숨은 나라
목록으로 전시된 벽을 따라
반짝이거나 눈 떨림 같은 빛들
그곳의 시간은 에테르

다른 쪽에서 일어나는 수많은 사연들
기괴한 소문만 무성하다

어떤 계획에 저당 잡힌 이번 생은 빛의 일부
전시된 대가로 받은 휘파람
휘휘 불다보면
밤은 또 급행열차처럼 지나간다

나머지 생을 전시하자
다른 사람들이 들여다보고
같이 휘파람을 불 수 있게
아름다운 여자가 나체로 춤추는
실루엣을 구경할 수 있게
누구든지 와서 머물다 갈 수 있게

브룬펠지어 자스민

그녀는 결혼하기 위해 바다를 건너왔다
그녀의 눈동자는 남빛이었다
사춘기 때 하얀 나비를 동경하면서부터
배추애벌레를 몸에 이식하기 시작했다
그녀를 볼 때마다 바다 냄새가 출렁인다
이 땅에서 살기 위해서는 몸에 가득한
바다 냄새를 풀어내야 한다

바다냄새는 천천히 풀어지고 있었다
어느새 그녀의 몸속에는
바다와 나비가 함께 살기 시작하고
보는 사람마다 그녀의 보랏빛 눈동자를 찬양했다
더러는 거기 취하기도 하고
더러는 분석하고 싶어 했다
질문을 받을 때마다 그녀의 눈동자는 밝아졌다
바다 냄새가 빠져나가면서 그녀를 흔들었다
바다 빛이 다 풀어졌다

때때로 그녀는 바다가 그리울 것이다
그때마다 하얀 날개를 퍼덕이며

바다위로 날아오를 것이다
바다 속에는 남색이 가라앉아 있다
하늘이 층층이 풀어지는 바다 깊숙이
나비가 산다

우아한 최면

한 평생을
기억하거나 기억하지 못하지만
보랏빛 입자가 내 주변을 가득 채우고 있다

어쩌다 깨어나 보면
아련하고
멀리서 푸른 네온사인이 손짓하고 있다

닿을 수 없는 평행선처럼
나란히 달리는 두 옆구리
찬바람이 불기도 하고
벗어날 수 없는 상냥한 향기 같기도 하다

무엇을 짐작하거나
믿기 어려운 이야기를 배우다가
안양을 하루 종일 감싼 안개 속에 서서
빛의 조각들이 세운 왕궁의 초대를 받아
나도 모르게 흘러간다

투명 가림 막을 가운데 두고 함께 달리던 자동차

막이 사라지자 증발해버리고
갑자기 나타난 옥수수 밭은
통제를 벗어난 세월처럼 유유히 흘러갔지

낯선 시간 속에 깃든 익숙한 순간이
천천히 또는 조급하게

고삐가 꿰어 외길을 달리는 유니콘처럼
앞으로만 달려가고 있었지

어느새 길은 익숙해지고
계속해서 자꾸만 모든 것에 익숙해지고 있었지
빛에 놀란 아지랑이처럼,
꿈의 입자가 펼쳐진 횡단보도처럼
내 그림자에 말을 걸다가 깜짝 놀라고 있지

노을이 잠시

머뭇거리는 순간
내 내부가 질서를 표절하려 한다
내 안으로 들어온 모든 불안전한 것들이
몸피를 키울 때, 당신을 부르다가
당신의 들숨과 날숨,
나도 모르게 홀리고 말았다

나를 위하여
또 나를 위하여, 잠시 당신을 내려놓았다
당신은 자꾸 커져만 가는데
잠시는 잠시 일뿐

은빛의 산등성이
당신이 온다, 거대한 눈동자를 빛내면서
저무는 것과 성숙한 것의 차이를
알아낼 수 있을까
사라지는 빛과 불안전의 경계에서
다시 당신에게 홀리고 말았다

한가한 날

다리를 꼬고 앉아
수만 년을 이어온
바람의 환청을 듣고 있다

나는 정 중앙을 걸어왔고
그래서 산다는 것이
저절로 흘러나오는
흥얼거림 같다는 것을 알게 되었다

기도는 한 정점으로 모이는 것
정원사의 가위에 후드득 떨어지는 가지처럼
그 옆에서 반듯해진 내 생각처럼

어제의 의심과 오늘의 음악이 같기를
같은 질문으로 끝나기를
하루를 폐기할 수 있기를

꽃이 되어 사라지는
설득력이 약한 오후의 강의처럼
느긋한 눈빛을 가로질러 흐르는 피의 족벌

바람의 울음

아무도 가지 않는 길을 건너온 바람이
전봇대 위에 울음을 풀어 놓는다
퍼렇게 풀어진 하늘을 가로지르며
먼 곳의 몸짓을 빠르게 전송한다

바람은 밤이 새도록 온몸을 흔들다가
처음 생성된 곳으로 돌아가면서
한 움큼의 생경스러움을 나뭇가지에 걸쳐 놓았다

태어나는 것과 잠식되는 것들 사이에서
갈라지는 것은 늘 울음을 동반했던 것일까
흔들다 멈추고 나면
두꺼운 목소리가 땅의 빈 공간을 차지한다

반짝이다가 부서지는 것들
태어난 곳에서 유리된 것들
바람에 실려 우주를 돌아 온 것들
울음을 날리면서 소속증명서를
흔적으로 남겨 놓았다

갈라진 상처를 파고들며 바람은 암호처럼 떤다
울음소리가 소속을 찾아 깃털처럼 날리고 있다

오후의 무게

시월 중순,
산책하던 여자가
잔영도 없이 소멸한 시간을 찾아
개울에 반사되는 빛 속으로 여행을 떠났다

도시의 공중,
시간은 늘 그녀의 곁에 있었다
지상으로 내려와 산책을 시작하자
그녀를 떠나 허공을 떠돌았다

오후가 되면 벽에 걸린 그림에서
시간이 걸어 나온다
그녀는 시간의 이쪽에 있지만
저 쪽 너머 그녀들의 시간이
말을 걸어온다

그녀는 낯설고 익숙한 순간들을 지나
조각으로 떼어져
각자의 시간을 살고 있는 그녀들을 만난다

벽에 그녀들의 초상이 걸리거나
그 초상에서 그녀들의 일상이 걸어 다니다가
이쪽의 그녀에게 말을 건넨다

하루는 스물네 시간 곱하기 그녀들의 수
그녀들이 그녀에게 와서 머무를 때에야
그녀는 포만감에 젖을 수 있다

포식의 계절은 아직 진행 중이다
그녀의 남은 시간이 다른 시간을 산출한다
그녀에게는 몇 십번의 가을이 남아있고
개울은 여전히 차원을 가르는 빛을 발사하고
그녀는 수확의 시기를 기다리고 있다

만차의 오후가 그녀의 시간을 노크하고 있다

축하의 말 : 생각을 주는 시

시인의 글에는 생각하는 실마리가 들어있습니다. 무심코 보아넘긴 사물이나 현상을 차분히 바라보며 시어를 다듬어 내놓은 글에는 문명사회에서 처지고 지친 나그네를 위로하는 사랑이 느껴지고, 시골에 사는 촌로의 따뜻함이 묻어납니다.

같이 근무하던 시절 공무원 문예 대전에 시가 입상작으로 선정되어 축하를 나눈 기억이 납니다. 24시간 편의점에서 일하는 풍경을 그린 시였는데, 마네킹처럼 일하는 종업원이 있고, 컵라면을 먹고, 생리대를 사 가고, 담배를 파는 편의점의 시간이 박제처럼 생명력 없이 담담히 흘러가는 모습을 시를 읽으면서 느꼈습니다.

바쁜 일상 속에서도 하루를 묵상하고 계절을 느끼며, 사물의 여러 면을 노래하고 매듭을 짓는 시집을 내게 되어 축하드리며, 책으로 내도록 허락하고 도와주신 시인에게 감사드리며, 더 좋은 작품으로 독자들을 기쁘게 하고, 가정은 화목하고 건강하고 행복이 넘치길 기도합니다.

진달래 출판사 대표 오태영(시인, 작가)

낯설고도 익숙한

인　　쇄 : 2022년 5월 2일 초판 1쇄

발　　행 : 2022년 5월 9일 초판 2쇄

지은이 : 김화숙

펴낸이 : 오태영

표지디자인 : 노혜지

출판사 : 진달래

신고 번호 : 제25100-2020-000085호

신고 일자 : 2020.10.29

주　　소 : 서울시 구로구 부일로 985, 101호

전　　화 : 02-2688-1561

팩　　스 : 0504-200-1561

이메일 : 5morning@naver.com

인쇄소 : TECH D & P(마포구)

값 : 10,000원

ISBN : 979-11-91643-51-0(03810)